A HISTÓRIA DE
Nossa Senhora Aparecida
PARA COLORIR OU BORDAR

texto
Goretti Dias

EDITORA
SANTUÁRIO

ilustrações
Veruschka Guerra

Direção Editorial:	Pe. Fábio Evaristo R. Silva, C.Ss.R.
	Pe. José Luís Queimado, C.Ss.R.
Conselho Editorial:	Cláudio Anselmo Santos Silva, C.Ss.R.
	Edvaldo Manoel Araújo, C.Ss.R.
	Ferdinando Mancilio, C.Ss.R.
	Gilberto Paiva, C.Ss.R.
	Marco Lucas Tomaz, C.Ss.R.
	Victor Hugo Lapenta, C.Ss.R.
Coordenação Editorial e Revisão:	Ana Lúcia de Castro Leite
Diagramação:	Mauricio Pereira
Ilustração:	Veruschka Guerra

Dados Internacionais de Catalogação na Publicação (CIP) de acordo com ISBD

```
D541h    Dias, Goretti
            A história de Nossa Senhora Aparecida: para colorir ou bordar / Goretti
         Dias ; ilustrado por Veruschka Guerra. - Aparecida : Editora Santuário, 2022.
            48 p. : il. ; 22cm x 31cm.

            ISBN: 978-65-5527-152-2

            1. Religião. 2. Cristianismo. 3. Santa. 4. Nossa Senhora Aparecida. 5. Livro
         de colorir. I. Guerra, Veruschka. II. Título.
                                                                        CDD 235.2
2021-3858                                                               CDU 235.3
```

Elaborado por Odilio Hilario Moreira Junior - CRB-8/9949

Índice para catálogo sistemático:
1. Santos 235.2
2. Santos padroeiros 235.3

5ª impressão

Todos os direitos reservados à **EDITORA SANTUÁRIO** — 2024

Rua Pe. Claro Monteiro, 342 – 12570-045 – Aparecida-SP
Tel.: 12 3104-2000 – Televendas: 0800 - 0 16 00 04
www.editorasantuario.com.br
vendas@editorasantuario.com.br

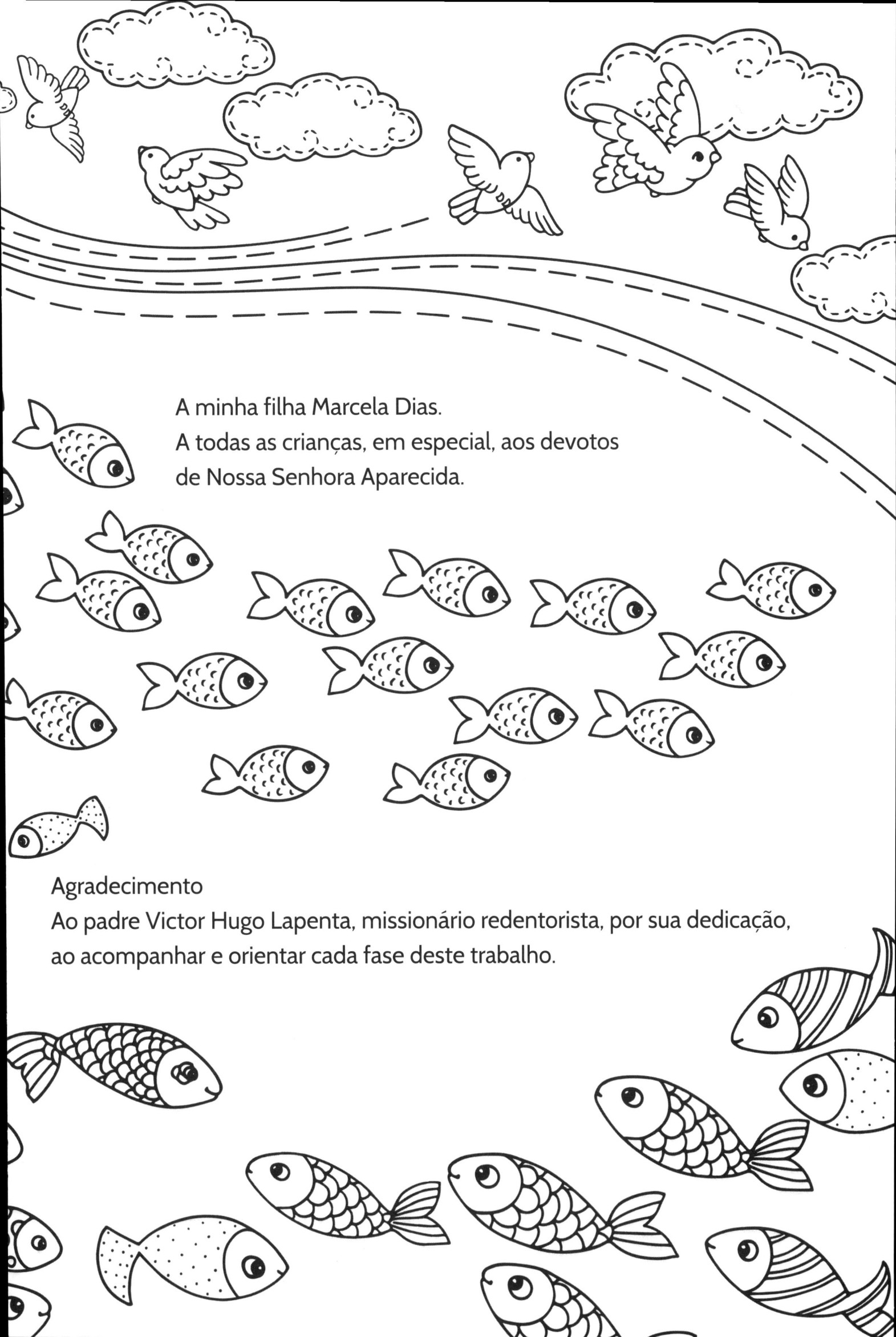

A minha filha Marcela Dias.
A todas as crianças, em especial, aos devotos de Nossa Senhora Aparecida.

Agradecimento
Ao padre Victor Hugo Lapenta, missionário redentorista, por sua dedicação, ao acompanhar e orientar cada fase deste trabalho.

Prefácio

Dizem que as crianças entendem tudo ao pé da letra, hoje eu confirmo.

Quando me contaram pela primeira vez a história de Nossa Senhora Aparecida, eu ainda era criança.

Fiquei encantada a cada descoberta, porém a frase que dizia que ela nos protege com seu manto de amor, guardei para sempre em meu coração!

Certa noite, com muito medo, eu não conseguia dormir.

Em vez de acordar os adultos, resolvi rezar.

Foi então que, pelo vidro da janela, a lua clareou meu quarto, convidando-me a ver que o céu estava todo pintado de azul marinho e bordado com inúmeras estrelas brilhantes, como o manto da Mãe de Jesus.

Ah, que felicidade!

Aos poucos, fui perdendo o medo, pois entendi que além de mim, meu lar, minha cidade, meu país, o mundo inteiro estava sob a proteção do imenso manto de Nossa Senhora, por isso eu poderia voltar para a cama e dormir sossegada.

Na manhã seguinte, corri para a janela, certa de que a santa mãezinha continuava lá e percebi que ela havia trocado seu véu por outro bem mais claro, certamente para que pudéssemos ver o mundo colorido que Deus criou.

Vamos espalhar essa história para todas as crianças?

Que tal contar para elas que todos os nossos medos podem ser destruídos por meio da fé, das cores e da oração?

Conto com você.

Essa história começou há muito tempo

Na cidade de Nazaré, vivia uma linda jovem, de coração amoroso, sem pecados e muito obediente a Deus.
Seu nome era Maria, Maria de Nazaré.

Certo dia, Deus lhe enviou um anjo, chamado Gabriel, para dar a melhor de todas as notícias que o mundo poderia receber!

O anjo do Senhor disse a Maria de Nazaré que ela havia sido escolhida para ser a mãe de Jesus, o Filho de Deus!

Maria ficou tão emocionada, tão feliz, que imediatamente respondeu:

- Sim, eu aceito ser a mãe do menino Jesus!

A partir desse sim de Maria, a história do mundo começou a mudar, pois Jesus com seus ensinamentos veio nos ensinar a amar de verdade e mostrar o caminho que nos leva a conhecer Deus.

Desde que o menino Jesus nasceu, até a sua vida de adulto, Maria o protegeu, educou e acompanhou, com todo o amor e fé.

E você sabia que, a pedido do próprio Jesus, Maria aceitou ser também a mãe de todos nós?

Assim, lá do céu, nossa mãezinha de Nazaré, ao perceber nossas necessidades e ao ouvir nossas orações, pede a Deus por um milagre.

Sabe qual é a boa notícia?

Deus continua fazendo milagres quando ela pede.

A mãe do céu ouve os pedidos de nosso povo brasileiro!

Houve um tempo, aqui no Brasil, em que o povo estava sofrendo muito, principalmente as pessoas negras, que eram presas como escravas e eram muito maltratadas!

Pessoas de todo o país pediam a Nossa Senhora, mãe de Jesus, pelo fim de tanta pobreza, maldade e escravidão.

Foi então que a Santa Mãe do Céu procurou uma forma de demonstrar a seus filhos brasileiros que tinha escutado suas preces, que os ajudaria e os apoiaria.

No fundo de um rio, havia uma de suas imagens, toda enegrecida, como a cor da pele de seus filhos escravos, e quebrada, assim como estava o coração de sua gente.

Ela escolheu aquela pequena imagem, no fundo do rio, para representá-la e tocar o coração de todo o povo brasileiro.

Foi aí que começou essa história de amor do povo brasileiro à Mãe Aparecida.

Como a imagem de Nossa Senhora Aparecida foi encontrada?

Aconteceu muito tempo atrás, no estado de São Paulo, às margens do Rio Paraíba do Sul, em um vilarejo, onde moravam pessoas muito simples e de muita fé, que viviam, na sua maioria, da pesca.

Em uma manhã, parecia que todos os moradores daquele lugar tinham resolvido brincar de telefone sem fio, e a grande notícia era sobre a pessoa importante que por lá iria passar.

Nas calçadas, as crianças e os adultos diziam de orelha a orelha:

- Vamos receber uma visita importante! O governador Assumar vai chegar!

A fama do governador era a de que se tratava de um homem de coração duro, malvado, que detestava ser contrariado e que já tinha avisado que durante sua visita ao vilarejo exigia comer peixes todos os dias.

Essa notícia deixou todos os moradores apavorados, principalmente os pescadores, pois eles sabiam que naquela época do ano o rio não dava peixes.

Com medo do que o governador poderia fazer, Domingos Garcia, João Alves e Felipe Pedroso, três pescadores experientes e de muita fé, entraram no rio com suas canoas e jogaram suas redes, rezando para que um milagre acontecesse.

Tentaram muitas vezes, sem sequer um peixinho fisgar!

Nossa Senhora viu tudo isso, do céu, e enviou o primeiro sinal de que iria ajudar!

Foi quando, de repente, João Alves percebeu que presa a sua rede estava uma imagem quebrada e escurecida de Nossa Senhora da Conceição!

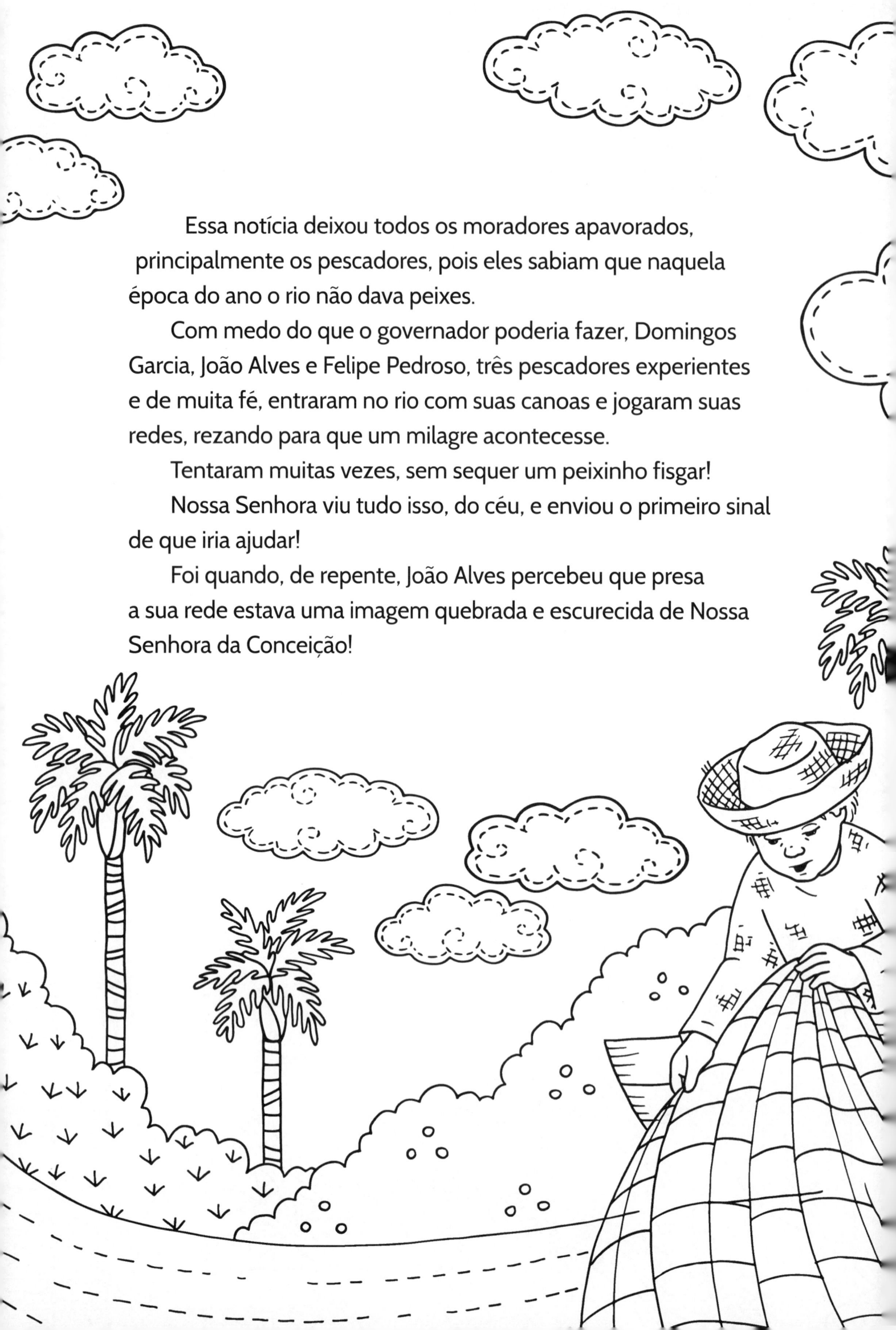

Opa! Os pescadores desconfiaram que se tratava de um recadinho do céu!

Jogaram as redes mais uma vez e, dessa vez, surgiu a cabeça, juntamente com milhares de peixes, que saltavam diante dos olhos dos pescadores.

Felizes, eles gritaram:

– Milagre, milagre! É Deus nos avisando que enviou Nossa Senhora, Mãe de Jesus, para nossa proteção!

Com suas canoas cheias de peixes e a imagem quebrada na mão, chegaram ao vilarejo, e a notícia logo se espalhou por toda a região.

Felipe Pedroso colou a imagem quebrada, colocou-a em um altar e abriu as portas de sua casa, para receber toda a vizinhança, que estava ansiosa para começar a visitação.

E as notícias sobre o milagre foram se espalhando; pessoas vinham de toda a redondeza, para ver de perto a imagem aparecida nas águas do rio.

Assim surgiu o nome Nossa Senhora Aparecida.

A casa do pescador foi ficando pequena para caber tanta gente, a ponto de ser necessário construir uma capelinha,...

... seguida de uma Basílica,

... até chegar ao Santuário Nacional de Aparecida, que hoje recebe multidões.

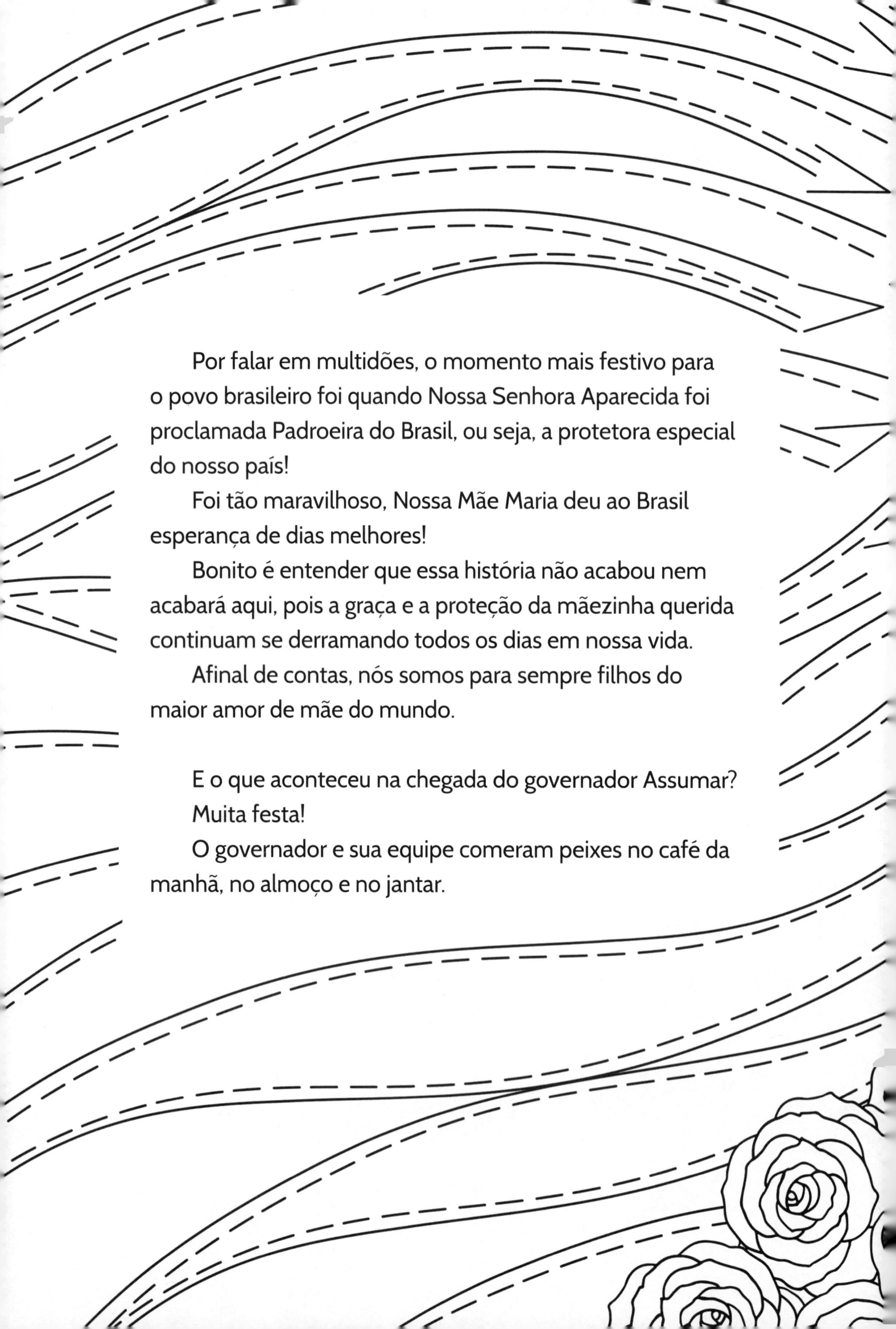

Por falar em multidões, o momento mais festivo para o povo brasileiro foi quando Nossa Senhora Aparecida foi proclamada Padroeira do Brasil, ou seja, a protetora especial do nosso país!

Foi tão maravilhoso, Nossa Mãe Maria deu ao Brasil esperança de dias melhores!

Bonito é entender que essa história não acabou nem acabará aqui, pois a graça e a proteção da mãezinha querida continuam se derramando todos os dias em nossa vida.

Afinal de contas, nós somos para sempre filhos do maior amor de mãe do mundo.

E o que aconteceu na chegada do governador Assumar? Muita festa!

O governador e sua equipe comeram peixes no café da manhã, no almoço e no jantar.

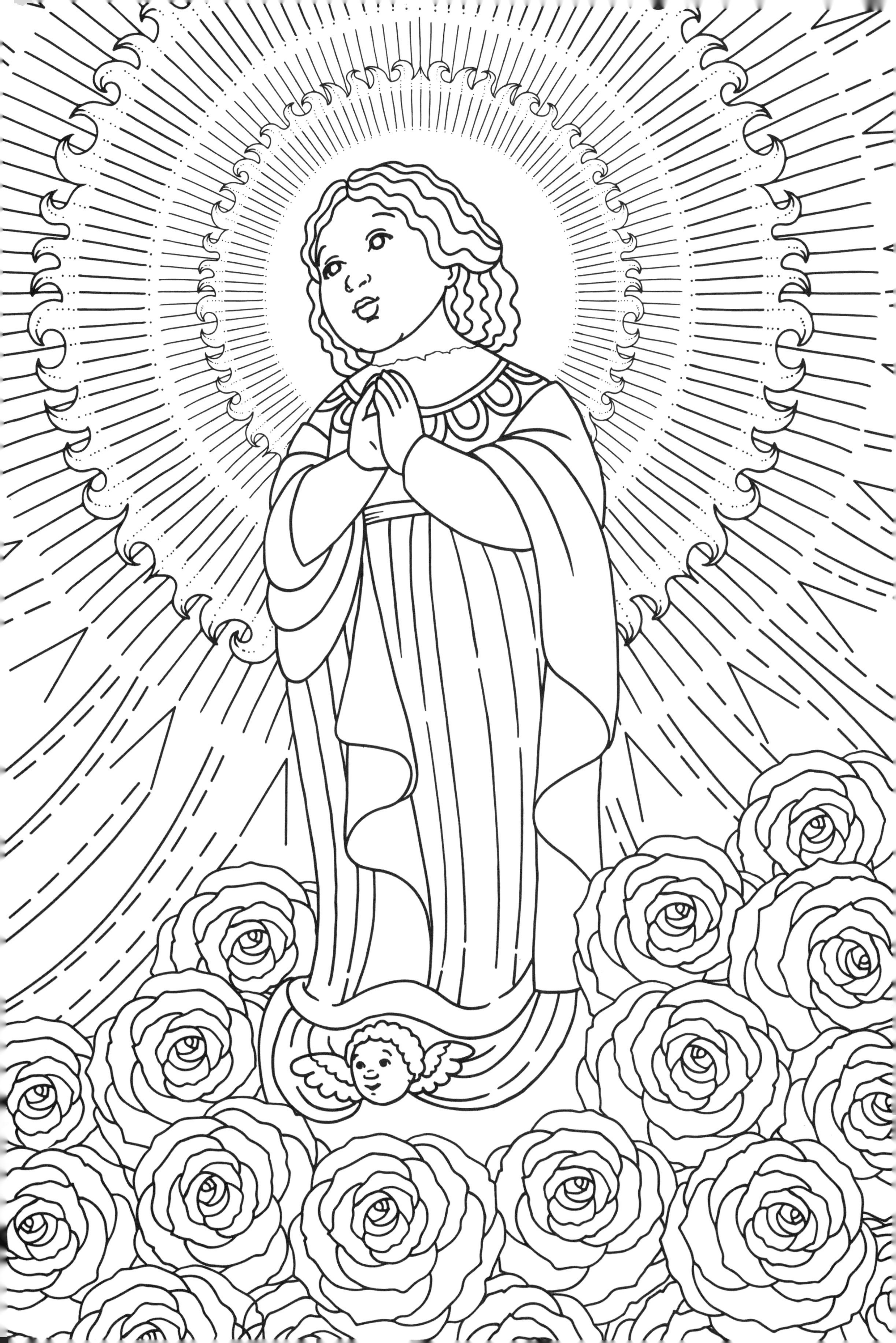

Você sabia...

... que a Princesa Isabel, filha do imperador Dom Pedro II, não conseguia ter filhos, e isso a deixava muito triste?

Então, ao saber das histórias sobre Nossa Senhora Aparecida, a Princesa rezou com muita fé para que a Mãe do Céu pedisse ao Senhor a graça de ela ser mãe.

E, com carinho, presenteou a imagem da santinha com um lindo manto azul, todo bordado com fios de ouro.

Alguns anos se passaram até que a Princesa Isabel recebeu a grande bênção de ser mãe de três lindas crianças!

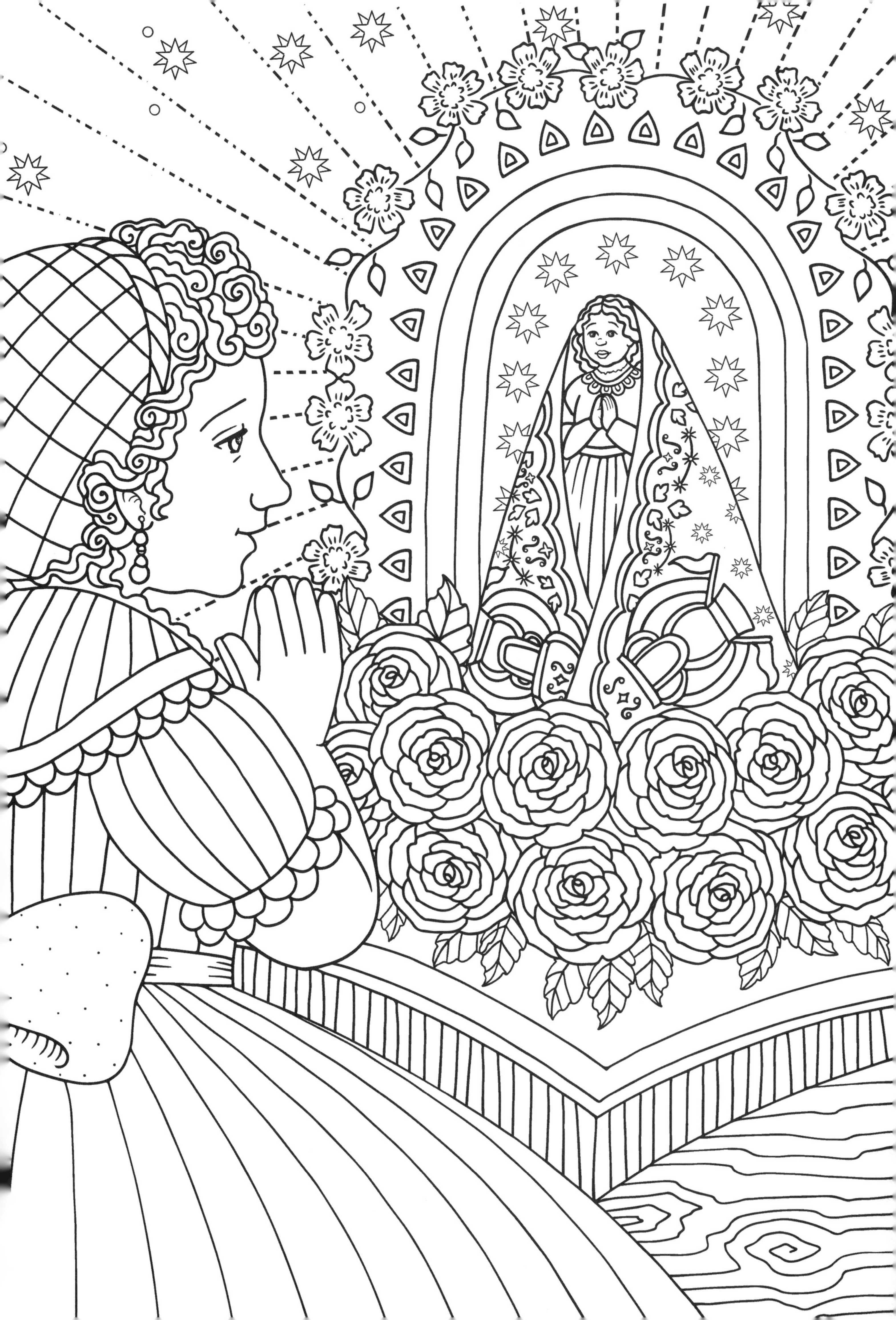

Ela ficou tão feliz, tão agradecida, que mandou fazer uma pequena coroa, toda em ouro e diamantes, para presentear a imagem de Nossa Senhora Aparecida, fazendo com que todos conhecessem a verdadeira Rainha do Brasil!

Surpresa!

Tempos depois, a Princesa Isabel abriu seu coração e assinou a lei Áurea, que libertou todos os escravos do Brasil.

Viva a liberdade!

Viva Nossa Senhora Aparecida!

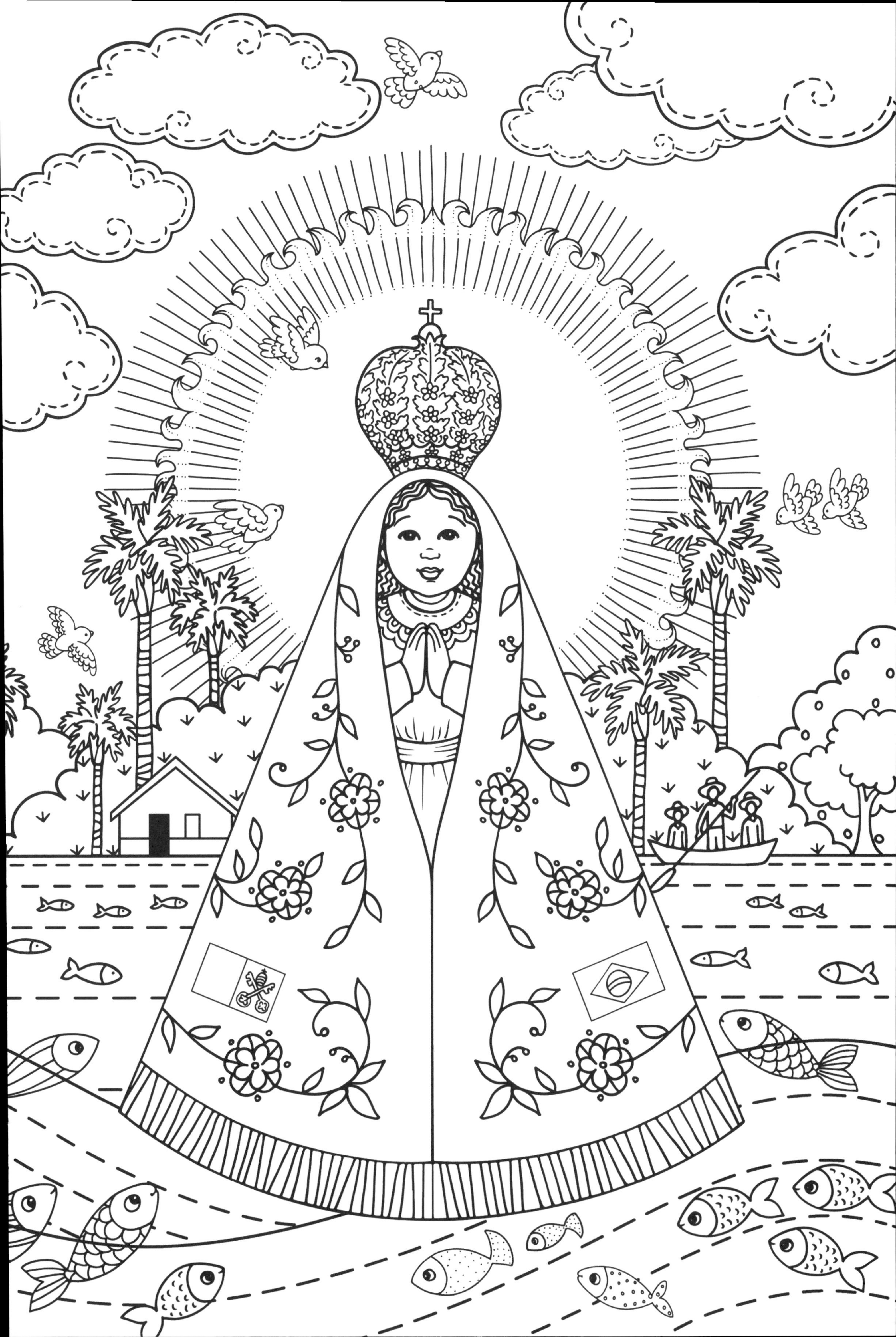

Pensando em você adulto que gosta de bordar...

Percorremos a história de Nossa Senhora Aparecida e encontramos muitas cenas da fé do nosso povo e provas do amor imenso de Nossa Senhora por todos nós.

O que acha de espalhar por sua casa bordados que contem essa história?

Nestas páginas, você vai encontrar imagens para bastidores de 20 cm, folhas de flashes, além de desenhos para o manto de Nossa Senhora Aparecida.

Todas as ilustrações das páginas 42 a 47 têm autorização para seu uso pessoal ou comercial (para bordado) e diferentes níveis de dificuldade.

Vamos bordar!

Desenhos para você bordar no manto de Nossa Senhora Aparecida. Vamos continuar essa linda tradição!

Você pode adorná-lo com flores para Nossa Senhora ou contar sua história por meio dos bordados...

Folha de flashes

Aqui você encontrará elementos separados, que poderá utilizar para compor diferentes bordados.

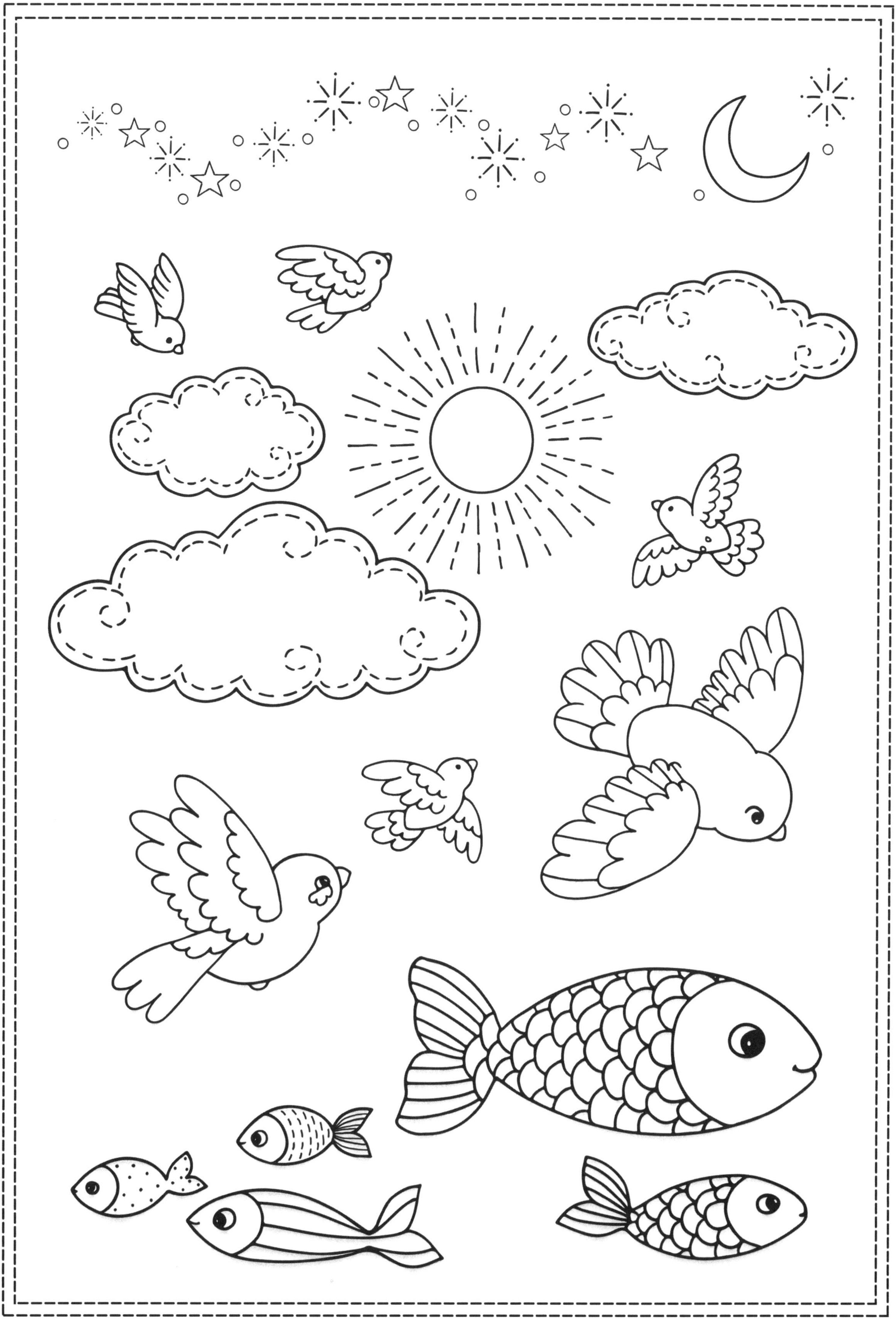

SOBRE A AUTORA

Goretti Dias

Psicóloga clínica e escolar, educadora e contadora de histórias, vive na cidade de João Pessoa, PB.

É catequista da pré-catequese, na Paróquia de Santo Antônio do Menino Deus, onde, empenhada em promover a aproximação da Bíblia e da espiritualidade na vida das crianças, dedica-se à constante atualização de métodos evangelizadores, como o Bibliodrama Pastoral, pela formadora Loredana Virgini (Itália).

É autora da "Bíblia para Crianças", em 2019, e da "Missa para Crianças", em 2020, lançadas pela Editora Santuário e pela Editora Paulus, de Portugal, em 2020.

YouTube: Goretti Dias Autora
Facebook: Goretti Dias Autora
Instagram: @gorettidiasautora
Site: www.gorettidias.wixsite.com/autora

SOBRE A ILUSTRADORA

Veruschka Guerra

Desde a infância tinha o sonho de trabalhar com livros para crianças, que as ajudassem a cultivar a paz tão necessária ao coração.

Professora de artes plásticas, lecionou durante 14 anos e estudou ilustração infantil, na Itália. Foi indicada, na categoria "Ilustração de Livro Infantil e Juvenil", ao Prêmio Jabuti 2015, por seu primeiro livro autoral "O Sonho de Karim".

Tem imagens publicadas em 43 livros, espalhados pelo mundo todo, e em outros que estão chegando por aí.

Em 2020, abriu a loja virtual Arca Estúdio Criativo, um cantinho cheio de desenhos para bordar e colorir, além de ilustrações pintadas com todo o carinho em aquarela.

Instagram: @veruschkaguerra
@arcaestudiocriativo
Sites: www.veruschkaguerra.com
www.arcaestudiocriativo.com